Julie Birmant & Clément Oubrerie

PABLO

1. Max Jacob

Adaptación: Jul

Color: Sandra Desmazières

También de **Clément Oubrerie:**

AYA DE YOPOUGON
Guión de ***Marguerite Abouet***
Serie completa en 6 volúmenes

PABLO 1. MAX JACOB
Título original: "Pablo 1. Max Jacob", de Julie Birmant y Clément Oubrerie.
Primera edición: Diciembre de 2013.

Passeig de Sant Joan 7 – 08010 Barcelona.
Tel.: 93 303 68 20 – Fax: 93 303 68 31.
E-mail: norma@normaeditorial.com

Traducción: Marion Carrière
Rotulación: Juan Manuel Peña

ISBN: 978-84-679-1336-1
Depósito legal: B-18750-2013

Printed in China.

www.NormaEditorial.com
www.NormaEditorial.com/blog
www.Dargaud.com

Consulta los puntos de venta de nuestras publicaciones en www.normaeditorial.com/librerias
Servicio de venta por correo: Tel. 93 244 81 25, correo@normaeditorial.com, www.normaeditorial.com/correo

Hace tiempo que nadie me presta atención...
LE CONSULAT
Crepes
VEND STUDIO

Hace ya tanto tiempo, que todos me creen muerta.

De todos modos, siempre quisieron hacerme desaparecer.
И вот известный ателье Пикассо

He tenido muchos nombres, Amelie Lang, señora de Paul Percheron...
Тепер посмотрим дом Далида

Pero en aquella época, todo el mundo me conocía por el nombre de
¡FERNANDE!
?

¡FERNANDE!
¡PABLO!

¡DAOS PRISA!
PAPÁ NO QUIERE ACABAR EN UN ATASCO DE FIN DE SEMANA.

¡PABLO, DEJA DE MOLESTAR A TU HERMANA!

La juventud en Montmartre en 1900 era crueldad, violencia, locura.
SOUVENIRS

Aquella mugre, aquel barrio de chabolas en el que unos inmigrantes andrajosos inventaban el arte moderno...

Picasso me amó, Picasso me pintó...

Por mucho que luego quisiera borrarme...

...me hizo eterna.

En el otoño de 1900, no era aún la chica cuyo rostro sería conocido por los amantes del arte del mundo entero.
¡VIVAN LOS NOVIOS!
¡BRAVO!
"La belle Fernande", que fue modelo en más de cien cuadros de Picasso.

BURP
En el otoño de 1900, estaba subida a un árbol, casándome a la fuerza con un hombre al que no amaba,

Y nadie nunca había oído aún mencionar a Picasso.
DISCÚLPENME.

Y encima estaba embarazada
Molinero, molinero
Eres cornudo

Tenía diecisiete años.
Vi a tu mujer el culo desnudo

Pero me sentía como si tuviera cincuenta.

En ese mismo instante, un muchacho que cumplía diecinueve años justo ese día, atravesaba la monumental puerta de la Exposición Universal.

*Los bocadillos grises están en catalán

...y Carles Casagemas, el tío guapo cuya fortuna familiar financiaba la escapada parisina (el padre de Pablo solo había pagado el billete de tren).

La calle del futuro era una acera rodante de kilómetros de largo.
EH... Y HABLANDO DE HOTELES, ¿CONOCÉIS ALGUNO QUE NO SEA DEMASIADO CARO?
¡TIENES SUERTE, CHAVAL! DEJO MI TALLER Y OS LO PUEDO PRESTAR UN TIEMPO...

Nonell, Miguel Utrillo, Ramón Casas...
... PERO ESTÁ PROHIBIDO DORMIR SOLO.
¡JA! ¡JA! ¡JA!

Instalados en París, aquellos viejos pintores de Barcelona tenían pinta de grandes señores...
VENID, OS PRESENTAREMOS A LAS HERMANAS GARGALLO.

¿LAS "HERMANAS GARGALLO"?
HEMOS QUEDADO EN LA FUENTE DEL PALACIO DE LA ELECTRICIDAD.

ODETTE, GERMAINE, TOINETTE...

AQUÍ ESTÁN LAS JÓVENES PROMESAS DE LA PINTURA ESPAÑOLA.
UN TALLER EN MONTMARTRE SOLO PARA NOSOTROS, ¿TE DAS CUENTA?

LA DE LA IZQUIERDA: ¡ES PARA MÍ!
POR DIOS... ¿POR QUÉ HABRÉ TRAÍDO LOS LIENZOS?
JI JI, ¿QUÉ ESTÁN DICIENDO?

Aquí, la gente podía besarse en la calle... Las chicas eran guapas, lúbricas, tolerantes...
NO HABLAN FRANCÉS.
BUENO...

¿VAMOS A LA GRAN NORIA DE CHICAGO?
¡SÍ, QUÉ BIEN!

Un artista podía colocar su caballete en cualquier sitio sin que nadie le dijera nada.

Estábamos a años luz de aquella España austera y pudorosa de Carles y Pablo.

AGARRAOS, ¡VA A ARRANCAR!

¡QUÉ BONITO!
MADRE DE DIOS.

!

¡AQUÍ ME TIENES, PARÍS!

Al día siguiente, Nonell les dejaba las llaves del N°49 de la calle Gabrielle.
QUÉ BELLA ES LA VIDA.

¿QUÉ HACEMOS?
¿INVITAMOS A LAS PLANCHADORAS DE AYER?

HE QUEDADO ESTA TARDE CON MAÑACH, ME DIJO QUE QUIZÁ PODRÍA SER MI AGENTE EN PARÍS.
¡HOP!
DADO TU TALENTO Y TU RAPIDEZ, SE HA OLIDO EL NEGOCIO.

DICEN QUE SU DINERO VIENE DE LA INDUSTRIA.
MALA COSA.
PERO SE LE RELACIONA CON LOS ANARQUISTAS.
BUENA COSA.
Y TIENE CASI LA MISMA EDAD QUE NOSOTROS.
MALA COSA.

TENEMOS QUE IR A VER A UNA MARCHANTE QUE QUIZÁ PUEDA COMPRARME ALGUNOS LIENZOS.
BUENA COSA.
SI FUNCIONA, MAÑACH ME PROPONE UN CONTRATO DE EXCLUSIVIDAD DE 150 FRANCOS AL MES.
¡¿CÓMO?!

TÚ, CABRONAZO, SIEMPRE TIENES LA FLOR EN EL CULO.
PERO TÚ ERES EL QUE SE FOLLA A LAS MÁS GUAPAS.

BUENO, HE LOGRADO COLOCAR CINCO DE TUS CUADROS AL PASTEL A BERTHE WEILL... PERO NO ESPERES GANAR UN CÉNTIMO ANTES DE QUE LO HAYA VENDIDO TODO.
TÚ ERES EL AGENTE.

Pere Mañach. Uno de los que siempre sabían de qué lado soplaba el viento.
YA VERÁS, ES UNA VERDADERA BRUJA, SU TIENDA ES UN AGUJERO POLVORIENTO, PERO ACUDEN ALLÍ TODOS LOS AFICIONADOS.
BOULANGE

ES DE ESAS A LAS QUE NO PUEDES TIMAR: LA VIEJA TIENE OLFATO Y SE DICE QUE ESCONDE EL DINERO EN SUS CALCETINES.
OBJETS d'ART

¡BUENOS DÍAS!
¡LA PUERTA!
¿ACASO CREE QUE ESTÁ EN LAS RAMBLAS, MAÑACH?

AQUÍ LE TRAIGO A RUIZ PICASSO, DEL QUE TANTO LE HE HABLADO.
¿EL "PEQUEÑO GENIO"?

¿EL QUE "ENTRÓ EN BELLAS ARTES CON CATORCE AÑOS"? BUENO...

NO LES OFREZCO SITIO PARA SENTARSE.
VUILLARD.
HUELE BIEN. ¿ESTÁ HACIENDO COMPOTA?

BUENO.
ME QUEDABAN ALGUNOS DIBUJOS SUYOS. CURIOSAMENTE, LO HE VENDIDO TODO.

PARECE SER QUE HAY UN PÚBLICO.
CINCO, OCHO, VEINTE...

AQUÍ ESTÁ TODO... VUELVA A VERME SI LLEGARA EL CASO DE QUE TUVIERA MÁS FRUSLERÍAS.
¡A TRABAJAR, PICASSO!

¡CHUSMA JUDÍA!
VAYA, DEGAS. ¡CUÁNTO TIEMPO!
?

EDGAR DEGAS.
CASI CIEGO, PERO TAN ANTISEMITA COMO SIEMPRE. ES VECINO DE LA WEILL.
¡SANGUIJUELA LEVANTINA!

Un agente, una novia: Picasso estaba preparado para afrontar la vida parisina.
A MÍ, PABLO ME GUSTA MUCHO. ES TAN GRACIOSO CUANDO INTENTA HABLAR FRANCÉS.
¿AH SÍ?

DICES ESO PORQUE AHORA GANA SUS BUENOS DINEROS.
BAH, TU CARLES, ADEMÁS DE TENER FORTUNA, ES GUAPÍSIMO.

BUENO.
¿QUÉ?
NO, NADA.
CALLE GABRIELLE, Nº 49. HEMOS LLEGADO, CHICAS.

¿Y EL TERCERO DEL GRUPO?
OTRO ESPAÑOL DE BELLAS ARTES: PALLARÈS.
TAN ADVENEDIZO COMO LOS OTROS DOS: MUY DE TU TIPO, POR CIERTO.

¡OH, LAS PLANCHADORAS!
¡HOLA CORAZONES!
HE VENIDO CON MI HERMANA ODETTE.

BIENVENIDAS AL TEMPLO DEL ARTE Y LAS COCHINADAS.
¿UN AGUARDIENTE?
NO ENTIENDO NADA.
¡MIRA LOS CUADROS!

El taller se convirtió en un importante centro de orgía y creación.

El único problema eran las peleas constantes entre Casagemas y Germaine.
¡MISERABLE!
¡ZORRA!

El joven pintor romántico padecía crisis nerviosas tan violentas como inexplicables.
¡FURCIA!
¿QUÉ PASA?
¿A LAS DOS DE LA MAÑANA? ESTÁN CHIFLADOS.

Empezó a beber, a ir medio desnudo, esperando montar una escena.
GERMAINE TE QUIERE, TÚ LA QUIERES, ¿DÓNDE ESTÁ EL PROBLEMA?
DÉJAME EN PAZ.

SI TENEMOS QUE TRABAJAR LOS SEIS EN ESTE CUARTUCHO, NECESITAMOS ORDEN.
LO SÉ, PODRÍAMOS ESCRIBIR UN REGLAMENTO.

COMEMOS A LA UNA.
LUEGO, HASTA LAS OCHO, LAS MUJERES LIMPIAN Y SOBRE TODO BESAN A LOS HOMBRES Y SE DEJAN SOBAR.
JI JI.

REGLEMENT
¡QUÉ CARA TIENEN!
MIRA LAS FALTAS DE ORTOGRAFÍA.

Pero el carácter de Casagemas solo empeoró.
¿ADÓNDE VAS?
TENGO UNA CITA.

¡TE LO PROHÍBO!
¿PERO QUIÉN TE CREES QUE ERES? ¿EL REY DE ESPAÑA?

¡OYE! ¡ESTOY TRABAJANDO!
SI VAS A VER DE NUEVO A UNO DE TUS TIÑOSOS AMIGOS...
¿"TIÑOSOS"?

¡ELLOS, AL MENOS, SABEN USAR OTRA COSA QUE NO SEA UN PINCEL!

¡YA ESTAMOS OTRA VEZ!

¡Hola Nonell! Aquí, seguimos en el paraíso, excepto Carles que está perdiendo la cabeza. Con la policía francesa empezando a cazar anarquistas, sus desmadres acabarán logrando que nos expulsen. Bebe, rompe sillas en los cafés... ¡Todo por una fulana de Montmartre que, Dios sabe por qué, lo vuelve tarumba! Ya te puedes imaginar qué casa de fieras.

En fin, creo que es el momento adecuado para alejarnos de la ciudad, al menos hasta que las cosas se tranquilicen.

¡Barcelona!
¿Y ESOS CUADROS PARA MAÑACH?
OH, QUE SE VAYA AL DIABLO.
TENGO QUE ESCRIBIR A GERMAINE.

Rápidamente, Picasso se acostumbró de nuevo al clima español...

Pero Casagemas seguía pareciendo estar afectado por un mal incurable.
A VER, PARISINOS, LAS PARISINAS ¿QUÉ TAL?
¡IGUAL QUE AQUÍ: NO TE DEJAN TRABAJAR, ¡PERO NO POR LAS MISMAS RAZONES!
¡JA JA JA!

SI ENVÍO MI CARTA ANTES DEL MEDIODÍA, QUIZÁ LLEGUE EL SÁBADO.
EN FIN, PODRÍAMOS IR AL BURDEL DE LA CALLE AVIÑÓN, ¿NO? ES NAVIDAD DESPUÉS DE TODO.

¿SOLO PENSÁIS EN ESO, VERDAD?
¿OS CREÉIS MUY GRACIOSOS?

¿VAYA, CARLES?
ES ESA CHICA, LO ESTÁ VOLVIENDO MAJARA.
VUELVO A PARÍS.

Entre las garras de mi espantoso marido, ¿cómo hubiera podido sospechar la existencia de ese mundo de pasión y creación?
MOLINERO, MOLINERO ERES CORNUDO

Ni siquiera me resultaba extraño haber sido abandonada de aquella manera por la familia con la que había vivido quince años.
¡UN BRINDIS POR LA TÍA DE LA NOVIA!

Fui criada por una tía a la que no quería, con una prima a la que no quería.

A mi madre, la había visto dos o tres veces, elegante, distante, perfumada...
HASTA LUEGO, CARIÑO.

Mi padre, un hombre de mundo, había pagado una buena fortuna a su hermana para sufragar mi educación.
COMPÓRTESE COMO UNA DAMA.

En casa de los pequeños burgueses mediocres de mi infancia, no hablábamos de nada: no teníamos derecho a decir "tengo hambre", "tengo sed", "me aburro"... ¡mucho menos a hablar de amor!

Cuando, en el campo, uno de mis tíos acabó tumbado sobre mí acariciándome el pecho, grité.
¡AMÉLIE!
¡UH!

Luego, puse un armario delante de la puerta.
¿AMÉLIE?

Y luego hize dieciséis años...
Ella y él
POR DIOS QUÉ FEA ES.
OJOS VERDES, MANOS DE ARAÑA, MESTIZA TENÍA QUE SER.

Acabé el colegio. Se habló de que siguiera en el instituto, me hubiera encantado ser actriz...
SEÑORITA LANG, AMÉLIE.

Como a mi tía ya no le quedaba nada de dinero destinado a mi educación, decidió que era hora de buscarme marido en su taller del Sentier.
ENHORABUENA.

... una empresa de plumas artificiales.
¡VAYA PANORAMA!
LAS MUJERES ESTOICAS DESDE LA EDAD ANTIGUA

Vivíamos encima de la fábrica, en un piso feo y estrecho donde hasta los rayos del sol eran tristes.
TE HAREMOS FELIZ LO QUIERAS O NO.

Intentaron casarme con el joven contable al que le copiaba las facturas.
¡QUÉ SOSO!
¡PERO POR DIOS QUÉ SOSO!

SEÑORITA, LA CALIGRAFÍA REDONDA Y FINA ES SEÑAL DE UN ALMA DISTINGUIDA.
¡CÁLLATE!

"Distinguida"... Mi tía también utilizaba esa palabra cada dos por tres. Me daba asco y me sigue dando asco.
SEÑOR EDOUARD, ¿LE HA DICHO A AMÉLIE CON QUÉ DEVOCIÓN CUIDA A SU MADRE LISIADA?

¡NUNCA ME CASARÉ CON ESE CHUPATINTAS!

Con ganas de desobedecer, al día siguiente, acepté la invitación de un tipo al que nunca había visto.
¡VAYA CARDO!
¡SOCORRO!

Loco de amor desde que me había visto, me escribía a través de Hélène, su cuñada, obrera en la fábrica.
BUENOS DÍAS.
PUAJ...

Pero me sentía halagada: con 28 años Paul Percheron era todo un hombre. Me propuso ir a tomar un chocolate en el bosque de Boulogne.
¿UN COCHE DE PUNTO?
¡NO VAMOS A TOMAR EL TRAMWAY COMO TODOS ESOS INDIGENTES!

Al instalarme en la banqueta, tuve una bocanada de orgullo, me sentía mujer.
TENGO QUE VOLVER A CASA ANTES DE LAS SEIS.
¡PALABRA DE PERCHERON!

Sentada bajo los ciruelos, me di cuenta de que Paul iba mal vestido, olía demasiado a agua de colonia: la gente nos miraba, sentí vergüenza.
¡CAMARERO!
¡CAMARERO!

Pero delante de tantos pasteles y bombones, me olvidé de todo... ¡Incluso de la hora!
¡SEGURO QUE ESTO NO LO TIENEN EN ALEMANIA!
¡JA!
¡JA!
¡JA!

* Autora del libro infantil *Las Desventuras de Sofía*, muy conocido en Francia.

Bebí vino y sherry brandy, fuimos a un concierto... Era una adulta, ¡al fin!

Subimos a su casa, un edificio nuevo frente al parque Montsouris.
YA VERÁS, NO SOY LA DUQUESA DE SÉGUR, PERO TENGO TODAS LAS COMODIDADES MODERNAS.

¡VEN AQUÍ, MI PEQUEÑA VIRGEN!

Fue una noche de horror, pavor y asco.
¡AY!
¡UY!
¡SILENCIO!

Hélène, la cuñada que me había metido en ese atolladero, vino a vernos al día siguiente con el hermano de Paul...
¿DIECISIETE VECES EN UNA NOCHE?
¡VAYA, VAYA, ENHORABUENA!
UNA BELLEZA... UNA INOCENCIA...

¡QUÉ VULGARIDAD!
¿EH, JUEGAS A LA MANILLA?
AHORA ME TUTEA, LO QUE FALTABA.

Aquella semana entera me quedé sola en el piso de Percheron... Siempre olvidaba que la noche acabaría llegando...

...y que Paul volviera del trabajo.
BUENAS NOCHES, MI PEQUEÑA VIRGEN.

Hasta que mi tía dio con mi paradero y vino a liberarme.
¡ES ELLA!
¡TÍA!

ME HA MALTRATADO. TENGO MORETONES POR TODO EL CUERPO.
¿LO ENJAULAMOS POR CORRUPCIÓN DE MENORES?

¡NI HABLAR! ¡AHORA QUE ESTÁ MANCHADA, ES EL CORRECCIONAL O EL MATRIMONIO!

Y así fue que me casaron con Paul Percheron.
IGUAL QUE SU MADRE: TIENE EL VICIO EN EL CUERPO.
¡ÁNIMO!
¡UNA LEVANTINA! ¡UNA HURÍ!

El invierno ha acabado, Pablo vuelve de Barcelona.

Con los bolsillos vacíos, el ave migratoria debe recuperarse.

RAT MORT

¡EH, CHICOS!
¡PABLO!

¡JEFE! ¡UN CALVADOS PARA PICASSO!
¿A LAS OCHO DE LA MAÑANA? VEO QUE OS CUIDÁIS BIEN, CHICOS.

NO PORQUE HAYA PALMADO CASAGEMAS NOS VAMOS A DEJAR MORIR.
¡¿EH?!

¿NO ME DIGAS QUE NO LO SABÍAS?
¿NO LE TENÍAS QUE ENVIAR UN TELEGRAMA?
PERO, PABLO, ¡CASA SE MURIÓ EN FEBRERO!
¿ME ESTÁIS TOMANDO EL PELO?

ES POR CULPA DE GERMAINE. CUANDO VOLVIÓ, TIRÓ LA CASA POR LA VENTANA: ROSAS ROJAS, Y TODAS ESAS COSAS, "SOY DE BUENA FAMILIA", "MI PADRE ES DIPLOMÁTICO"...
A ELLA LE IMPORTABA UN BLEDO.

FINALMENTE, LE PIDE MATRIMONIO Y ELLA LE MANDA A PASEO.
CON SU SOMBRERO DE PLUMAS, SU BOQUITA DE PIÑÓN, YA TE IMAGINAS EL PATIO.

Y DE REPENTE, CASA SE PONE A GRITAR Y ELLA LE SUELTA DELANTE DE TODO EL MUNDO QUE ES IMPOTENTE.
ASÍ QUE ÉL, EN UN VISTO Y NO VISTO, DESAPARECE.
MUY ENFADADO.

Y LA SEMANA SIGUIENTE, ANUNCIA QUE ORGANIZA UNA CENA DE DESPEDIDA DEFINITIVA ANTES DE VOLVERSE A ESPAÑA.
TODOS PENSAMOS: AL FINAL LO HA PILLADO.
NO SE PUEDE HACER NADA CON GERMAINE.

DE TODAS FORMAS, ESTA HABÍA RECIBIDO MÁS VISITAS QUE NOTRE DAME.
LLEGA LA CENA: QUINCE PERSONAS, CERVECERÍA DEL HIPÓDROMO, MUY CHIC...

Lo mejor, es que Germaine se presentó con su verdadero marido para la ocasión.
Queríamos empezar las vieiras salteadas cuando Casa se levanta para hablar.
Pero en lugar del discurso, saca un revólver.
Apunta a Germaine.
¡UNA PARA TI!
BLAM
Y UNA PARA MÍ.

ESPANTOSO, TAL COMO TE CUENTO.
EN EL HIPÓDROMO, NO HABÍAN VISTO NUNCA COSA PARECIDA.

Y a Germaine, ¿crees que le pasó algo? Se escondió detrás de Pallarès, que es el que recibió el disparo.

SOBREVIVIÓ.
Y GERMAINE LE BESABA, LE PEDÍA PERDÓN.
LE RAT MORT
PERO AL OTRO, QUE ESTABA COMPLETAMENTE MUERTO, NADA DE NADA.

AH, YA TE DIGO, HAN OCURRIDO UNAS CUANTAS COSAS MIENTRAS NO ESTABAS.
Y CUANDO EL MÉDICO LE HIZO LA AUTOPSIA A CASA, DIJERON QUE NI SIQUIERA ERA IMPOTENTE DE VERDAD.
QUE HUBIERAN PODIDO OPERARLO.

TODO ESO POR UNA XINOSIS.
¡UNA FIMOSIS!
BUENO, QUÉ LÁSTIMA.

El 17 de febrero de 1901, a las 13 horas, Carles Casagemas falleció en el hospital Bichat.

Fue durante aquel invierno que mi marido empezó a robarme los zapatos.

Nos habíamos mudado a las afueras. Para asegurarse de que no me largara, se iba a trabajar llevándose mis zapatos.

Embarazada, dejaba la puerta del piso abierta y bajaba a la calle en calcetines.

Aquel día, resbalé sobre el suelo escarchado y tuve un aborto espontáneo.

Sangré mucho, y luego se paró. Era la Exposición Universal, París era el centro del mundo y yo era prisionera en un pisito miserable de Fontenay.
SE REPONORÁ, LAS ORIENTALES SON SÓLIDAS.

Había sido entregada como un redondo de ternera al apetito de un loco.
¡LA MANCHA DE UNA MORA CON OTRA VERDE SE QUITA!

Intenté limpiar, cocinar, pero no lo lograba. Todo lo que intentaba hacer acababa o medio crudo o hecho papilla.

Hélène venía a verme. Era vulgar pero más lista que el hambre.

Me quedé pasmada. Hélène me prestó un par de botas y a partir de ese día la acompañé en todas sus expediciones clandestinas.

Creí derretirme en los brazos de aquel desconocido. Tenía manos en lugar de tentáculos y su boca no era una ventosa inmunda.

Descubrí durante aquella reunión una sensación física desconocida y casi divina, en la que una gime y se olvida.

Hélène también, una vez, me desnudó y me besó como un amante.

Me volví adicta a esas delicias, pero debía volver a casa antes de las seis. Paul nunca supo que lo engañaba, aunque eso no le impidió pegarme siempre que quiso.

Pero ahora conocía la canción y en cuanto sentía que empezaba a montar en cólera por un huevo demasiado cocido, retrasaba los golpes tirándole los platos a la cabeza.

Primavera de 1901 - París aún no ha acabado de desmontar la Exposición Universal.

Los españoles siguen teniendo suerte con sus planes, Picasso ha dado con un taller en el bulevar Clichy.

Con Casagemas bajo tierra, Germaine no tardó en encontrar consuelo en los brazos de Pablo.
¡CUIDADO!

Él pinta kilómetros de tela, lienzos vivos y alegres, como si nada hubiera pasado.
¿NO QUIERES HACER UNA PAUSA?

¡ESTO ES PARÍS!

¡PUTO CABRÓN!

HE CONOCIDO A MUCHOS CABRONES, PERO COMO TÚ, NINGUNO.
¡¿TU AMIGO ACABA DE MORIR Y ME ENGAÑAS CON SU MUJER?!

A VER, ODETTE, TENGO MUCHO TRABAJO.
¿ACASO CREES QUE ENCONTRARÁS EL TALENTO EN SU LECHO AÚN CALIENTE?

MIRA ESA PORQUERÍA ASQUEROSA.
SOLO ERES UN FRACASADO, PICASSO.

FOLLAS IGUAL QUE PINTAS. SUPERFICIALMENTE, SIN PROFUNDIDAD.

¡HOLA ARTISTA!

DESEMBUCHA, MAÑACH, ¿QUÉ QUIERES?

TE HE ENCONTRADO UNA EXPOSICIÓN, PICASSO. Y NO UNA CUALQUIERA.
CALLE LAFFITE, EN VOLLARD.

NECESITO UN CENTENAR DE LIENZOS.
DE AQUÍ A UN MES.

LOS TENDRÁS.

El 25 de junio de 1901, en su primera exposición, Picasso muestra sus cuadros en la prestigiosa galería de Ambroise Vollard.

HAY MÁS RAMERAS EN ESTA EXPOSICIÓN QUE EN EL BURDEL DE LA CALLE LONDRES.
AH QUÉ CURIOSO, VENGO DE AHÍ.

¡QUÉ VITALIDAD!
¡NOTABLE!

¿DÓNDE HAN ENCONTRADO A ESTE ESPAÑOL?
PREGÚNTASELO AL CÓNSUL.
BUENAS NOCHES SEÑORAS.

ME PRESENTARÉ, PERE MAÑACH. SOY EL AGENTE DEL ARTISTA.

PFFF
ENAMORADO DE LA REALIDAD.
VIOLENCIA.
COLORES PUROS.
RITMO.
FACILIDADES DE PAGO.

MIRA ESA RATA.
NO PUEDES QUEJARTE, AMIGO.

TU EXPOSICIÓN ESTÁ TENIENDO UN ÉXITO DE MIL DEMONIOS. HASTA VOLLARD HA DEJADO DE PONER MALA CARA POR UN RATO, SEÑAL INEQUÍVOCA DE QUE VA BIEN.

ES EL PRINCIPIO DE LA GLORIA, PABLO.
¡NO ME DIGAS!

AUNQUE SE VENDIERA TODO, CON LA PASTA QUE SE VA A ZAMPAR MAÑACH Y EL VEINTE POR CIENTO DE VOLLARD, ME QUEDARÁ UNA MISERIA.
¿ES USTED EL AUTOR?

MI MUJER QUIERE SABER LO QUE SIGNIFICA EL TEXTO EN ESPAÑOL EN SU DIBUJO.
EH... ¡NO HABLO FRANCÉS!

EH BUENO... "CUANDO TENGAS GANAS DE JODER, ¡JODE!" ES UN REFRÁN CATALÁN... TRADICIONAL.
QUÉ REFRESCANTE.

PERDONE, ACABO DE COMPRAR SU LIENZO DEL "GOURMAND"...
?

¿PERO DE DÓNDE SACA TODAS ESAS IDEAS?
¿LE DIGO QUE LO HE COPIADO DE UN ANUNCIO DE CHOCOLATE?
MEJOR NO.

PODEMOS HACERLES TRAGAR CUALQUIER COSA.
CHOCOLATE, NO ESTÁ TAN MAL.
BUENO... ¡O MIERDA!

¡¿IMPRESIONISTA?!
¡POST-IMPRESIONISTA!
¿POST-NABIS?
VENGA, HAGAMOS MUTIS, TODO ESTO ME DEPRIME.
¿ADÓNDE VAMOS?

¡AL BURDEL!
¡PAGAS TÚ!
PERDONA.

ESA MIRADA...

¿LE GUSTA, SEÑOR JACOB?
¡¿?!

ES...

¿Fue aquel el día que Max Jacob se enamoró de Picasso?
¿ES DE VERDAD UN AUTORRETRATO?
¿LE INTERESA? EL PRECIO DE SALIDA ES DE CIEN FRANCOS.

POR DESGRACIA, SEÑOR VOLLARD, MI BOLSA NO ESTÁ TAN LLENA COMO MI DESEO.
ES UN ARTISTA BASTANTE COMERCIAL...

PERO NADIE QUIERE ESTE CUADRO.
DEBE SER POR LAS SOMBRAS VERDES.
ESCUCHE, VOLLARD...

DEME LA DIRECCIÓN DEL TAL PICASSO, DEBO HABLAR CON ÉL.
¡VOLLARD! ¡¿SE ACEPTAN FRANCOS SUIZOS?!

No podía evitarlo...

...Max Jacob tenía que conocer a Picasso.
POR DIOS.
TENDRÍA QUE HABERME PUESTO LA CAPA DE PAPÁ.

SI ES DE NUEVO ODETTE, LA ECHO A LA CALLE.
TOC TOC

¿SÍ?

Para el poeta de Quimper, el rostro del joven español fue como una aparición.
YO...
LE...
EH...

Su rostro, una máscara de marfil, lisa y perfecta; una mirada de fuego bajo su pelo negro como el plumaje de un cuervo.
DISCULPE MI IMPERTINENTE CONDUCTA...
DEMONIOS, NO ENTIENDO NADA DE LO QUE DICE.

SOY MAX JACOB, CRÍTICO DE ARTE. ESTABA EN LA GALERÍA VOLLARD.
SU ENFOQUE PICTÓRICO ES REALMENTE ESTREMECEDOR.

¿ME CONCEDERÍA EL PRIVILEGIO DE PODER CONVERSAR CON USTED EN UN MOMENTO MÁS ADECUADO?
EH... ¿USTED VENIR CASA HABLAR CONMIGO?
¿QUÉ?
SE ME ESTÁN QUEMANDO LAS JUDÍAS.

Cómo lo hizo, lo ignoro, pero Max Jacob convenció a Picasso para ir a verle a su piso del Quai aux Fleurs.
SÍ, SÍ.
MAÑANA POR LA NOCHE.
QUÉ INDIVIDUO MÁS EXTRAÑO.

El caso es que al día siguiente, Pablo se presentó en casa de Max flanqueado por su guardia de fieles.

UN TORERO.
CON SU CUADRILLA.

Diez españoles en la minúscula habitación de Max Jacob.
¡QUÉ ALEGRÍA!

PABLO HA TRAÍDO TODO LO NECESARIO COMO PARA HACERLE UN RETRATO.
HE ENCONTRADO LOS VASOS.

LE DIJE QUE ERA USTED POETA, COMO YO. NUNCA HA PINTADO UN POETA.
ES MARAVILLOSO.
¿NO CONOCERÁ CANCIONES FRANCESAS?

NO... PERO LE PUEDO RECITAR ALGO DE VERLAINE, SI QUIERE.
¡SALCHICHÓN CON AJO!
¡BRAVO!
POM POM POM POM

"Llora en mi corazón como llueve en la ciudad. ¿Qué languidez es esa que penetra en mi corazón?"
POM POM POM POOOM
¡PARA YA DE TOCAR BEETHOVEN, CABRÓN!

"Oh, ruido suave de la lluvia en la tierra y en los tejados. Para un corazón que se aburre ¡oh el canto de la lluvia!"
¡ANARQUÍA!
¡POR LAS MUJERES!
¡SALUD!

"Llora sin razón en este corazón que se revuelve. ¡Qué! ¿Ninguna traición? Ese luto es sin razón..."
EH, ESTO ES MUY BUENO.
"¡Es pues la peor pena / No saber por qué, Sin amor y sin odio / Mi corazón siente tanta pena!"

Mucho más tarde...
ERES UN GRAN POETA.
BUENO... ESO NO ERA MÍO.

DIME TUS POEMAS ENTONCES.
¡¿MIS POEMAS?!
EH...
EL POEMARIO ESTÁ EN LA MALETA.

¡MUEVE EL CULO!
SI NO LE GUSTAN MIS TEXTOS, ME TIRO AL SENA.
¡EH!

BUENO...
"Los caballitos de feria enloquecen... Caballitos, casa de fieras, ¿dónde? ¿Y para qué tipo de viajes? Yo que tengo pareja. Desde hace... ¡Ah! ¡Hace tiempo!...

Probaros, caballitos, ya no tengo... ¿qué no tengo? ¡Edad!"
¡FANTÁSTICO!
¡MÁS!

NO ENTIENDO NADA PERO SUENA BIEN.
ES EL MEJOR DÍA DE MI VIDA.

Cuando en el campanario de Notre-Dame sonaron las cinco campanadas, los españoles se fueron.
¡VOLVERÉ!

Y loco de agradecimiento, Max le regaló a Pablo sus tesoros más hermosos: un grabado de Durero, dos litografías de Daumier y Gabarni y su colección de imágenes de Épinal.
FALTAN MUJERES AQUÍ.
¡CIERRA EL PICO!

Cuando en el reloj del ayuntamiento de Fontenay-sous-Bois repicaron seis campanadas, Paul Percheron se levantó para ir a hacer su turno a la fábrica.

Sería la última vez que lo vería.

Cogí mi libro de familia, mi certificado de matrimonio, mis diplomas...
OJO POR OJO, DIENTE POR DIENTE.
TÚ ME BIRLAS LOS ZAPATOS, YO TE BIRLO LAS BOTAS.

Y con los dos francos cincuenta que había ahorrado, tomé el tren hacia París.

Había oído hablar de una oficina de colocación en la Bastille.
QUINQUINA JACQUEMIN
BUREAU
LAIT
LIQUEUR

¡ME IMPORTA UN PIMIENTO SU DIPLOMA! ¿SABE AL MENOS ENCARGARSE DE UNA CASA?
SÍ, SEÑORA.
BUENO, PUES VUELVA A LAS CUATRO.
ANNONCES

Mientras tanto, vagué por la calle Saint-Paul con el estómago vacío.
TRANSPORTS

No me atreví a comprar un panecillo. Me habían dicho que no se hacía, eso de comer en la calle.
BOU

PERDONE QUE LA MOLESTE, SEÑORITA...
BOUL

ME LLAMO LAURENT DEBIENNE...
¿SERÍA MUY OSADO INVITARLA A COMPARTIR UN BRIOCHE EN EL INTERIOR?
BOUL

GRACHIAS.

TENÍA HAMBRE, LO SIENTO.
EH.
¿DE VERDAD SE LLAMA "LAURENT BRIOCHE"?

¿DE DÓNDE HA SACADO TAL IDEA?
SOY LAURENT DEBIENNE, ESCULTOR.
LA VI SALIR DE LA OFICINA DE COLOCACIÓN. NI SE LE OCURRA.

UNA PERSONA COMO USTED TIENE MEJORES COSAS QUE OFRECER QUE IR A CONSUMIRSE A CASA DE UNOS INDIGNOS SEÑORES.
¿HA LEÍDO EL "DIARIO DE UNA CAMARERA"? NO LO CREO, NO.

¿HA POSADO ALGUNA VEZ?
¿POSARME DÓNDE?
¡JA JA! NO, QUIERO DECIR: SU FIGURA ES INTERESANTE, PODRÍA SER MODELO.

ME DICE QUE NO SABE ADÓNDE IR. LE ABRO LAS PUERTAS DE MI TALLER, CALLE DE LA GAÎTÉ. ALOJAMIENTO Y COMIDA A CAMBIO DE UNAS HORAS COMO MODELO.
BUENO...
¡DE ACUERDO!

¡TACHÁN!

PUEDE DORMIR AQUÍ, LE ARREGLARÉ EL COLCHÓN PEQUEÑO.

¿ESTÁ SEGURA DE QUE NO LE MOLESTA EMPEZAR AHORA MISMO?
NO, NO.
TENGO TANTAS GANAS DE TOCAR ARCILLA.

¡POR DIOS!
¡YA SON LAS SIETE!
MAMÁ VA A REFUNFUÑAR DE NUEVO.

A los 30 años, Laurent Debienne seguía viviendo en casa de sus padres.
VENGA, BUENAS NOCHES. LA DEJO APAÑÁRSELAS HASTA MAÑANA.
HAY FRUTAS Y UN TROZO DE ASADO DE TERNERA DE MAMÁ EN EL APARADOR.

La decencia me había enseñado que siempre hacía falta ponerse una camisa limpia encima de la sucia. Ahora, sola en el taller, como no tenía sábanas ni ropa, dormí desnuda, arropada en la piel de un animal.

Imaginando la cara de mi tía si me viera así, me dio la risa...

Por primera vez en mi vida, era libre.

"¡Cierto, lloré demasiado! Las albas son dolorosas. Toda luna es atroz y todo sol amargo. El acre amor me hinchó de embriagantes torpores. ¡Oh, que mi quilla estalle! ¡Oh, que me hunda en la mar!"
"Ociosa juventud
A todo sometida,
Por delicadeza
Perdí hasta mi vida..."
"Antaño, si mal no recuerdo, mi vida era un festín donde se abrían todos los corazones, donde todos los vinos fluían. Una noche, senté a la Belleza en mis rodillas. -Y la encontré amarga.- Y la injurié."
"Arrastra, arrastra tu ola indolente, Sena sombrío
Bajo tus puentes que envuelve un vapor malsano
Muchos cuerpos han pasado muertos, horribles,
podridos Cuyas almas asesinara París."
"¿Es posible que Ella me haga perdonar las ambiciones continuamente pisoteadas, que un cómodo final repare las edades de indigencia, que un día de éxito nos adormezca en la vergüenza de nuestra incapacidad fatal?"

¡VAYA, PABLO!
SON LAS SIETE, ¿Y AÚN EN EL CATRE? HABÍAMOS QUEDADO PARA IR A BAI-CAR CON MANOLO EN EL BAL BULLIER.

A LA MIERDA, NO PUEDO MÁS CON ESTA FARSA.
TODA ESA PANDILLA DE DESHARRAPADOS ME DAN NÁUSEAS.

¿FARSA? ¿NÁUSEAS? ¿DÓNDE HAS IDO A PESCAR TODAS ESAS PALABRAS?
Y MIRA MI PINTURA, APESTA A ARTIFICIO.

¡LA VERDAD ES QUE FINGIMOS VIVIR, GERMAINE!
"UNA TEMPORADA EN EL INFIERNO."
"SPLEEN."
¡VAYA TONTERÍA!

¿QUIÉN TE HA HECHO CREER QUE PODÍAS APRENDER FRANCÉS CON SEMEJANTES ASNOS?
MAX TIENE RAZÓN: LAS MUJERES NO SABEN NADA DE POESÍA.

¿MAX JACOB?
¡ME LO IMAGINABA!
SI TE JUNTAS CON ESE PAYASO, ACABARÁS COMO ÉL: JUDÍO Y PEDERASTA.

¡A TOMAR VIENTO!
TE ARREPENTIRÁS.

UNA VIDA DE IMBÉCIL.

UNA PINTURA DE IMBÉCIL.

PUAJ

Algunas borracheras son más imperecederas que otras... Para Picasso, aquella noche sería decisiva.

¡PAPÁ! ¡PAPÁ!
DEJA A TU HERMANO EN PAZ, CONCHITA. TIENE QUE ACABAR DE PINTAR SUS PALOMAS.
¡PABLO NO QUIERE MORIR CONMIGO!
¡UNA PALOMA ES ALGO HERMOSO, HIJO MÍO!
¿SEÑOR RUIZ?
TIENEN QUE OPERAR A SU HIJO. EL DOCTOR ORDENÓ UN TRANS-PLANTE DE SEXO.
¡ESTO ES PARÍS!
¿VIENES CARIÑO?
ME ROBASTE A MI MUJER.
¡CARLES! ¡NO!
¡AH!

CASAGEMAS...

¡PERDÓNAME!

¿LA "MUERTE DE CASAGEMAS"?
¿QUÉ HORROR ES ESTE?
¿NECESITABAS MATARLO OTRA VEZ, O QUÉ?

NO LO ENTIENDES, MAÑACH. LA VIDA NO ES SOLO MUCHACHAS MULTICOLORES QUE LEVANTAN LA PIERNA.

¡ESTAMOS RODEADOS DE MUERTE!
DETRÁS DE ESAS MÁSCARAS, ESTÁ LA ENFERMEDAD; DETRÁS DEL DESEO, LA DESESPERACIÓN...
EN FIN, NO SE PUEDE VENDER. EN ABSOLUTO.

TE LO DIGO EN SERIO: NO TENGO LA INTENCIÓN DE SER EL AGENTE DE UN POETA MALDITO.
ASÍ QUE ESCÚCHAME BIEN, CHAVAL...

O TE SACAS ESA IDEA DE LA CABEZA, O COGES TODOS TUS TRASTOS Y TE LARGAS DE MI TALLER.

?

Y así, Picasso pasó a alojarse en casa de Max Jacob.
¿ESTÁS SEGURO DE QUE NO TE MOLESTA?
ESTOY ENCANTADO, PERO NO SÉ SI CABRÁ TODO.

Su nuevo piso del bulevar Voltaire no era mucho más amplio que el de Quai aux Fleurs.
AL MENOS, AQUÍ NO MOLESTA NOTRE-DAME.
AQUÍ ESTÁ TU CAMA.
¿Y TÚ?

PUEDO DORMIR SOBRE LA ALFOMBRA CON UNA BUENA MANTA, Y...
NI HABLAR, LA COMPARTIREMOS.
YO TRABAJO DE NOCHE, TÚ TRABAJAS DE DÍA, DORMIREMOS POR TURNOS.

¡TANTA MISERIA ME CABREA MUCHO!
NO TE PREOCUPES... CON MI TRABAJO DE ALMACENERO EN PARIS-FRANCE, PUEDO GANARME LOS GARBANZOS COMO DIOS MANDA.

NO ES QUE EL TRANSPORTE DE CARTONES O LA REPOSICIÓN DE MERCANCÍAS SEAN APASIONANTES, PERO SI TE PERMITE PINTAR, EL ARTE ESTÁ ANTES QUE TODO.
MAX, SOLO PINTO BASURA. ¡MÁS ME VALDRÍA SALTAR POR LA VENTANA!

¡JOP!
¡SE ACABÓ EL ABSURDO!
¡PABLO!

"¡Bah! Pese a los destinos celosos, muramos juntos, ¿quiere usted? La propuesta es rara."

"Lo raro es lo bueno. Así pues, muramos. -¡Ji, ji, ji! ¡Qué extraño amante! - Extraño, no lo sé. Amante irreprochable, seguramente."

"Tan bien que aquella tarde, los dos sentados, cometieron el inexplicable error de aplazar una exquisita muerte."

¡NO ES TUYO!
VERLAINE, "LOS INDOLENTES"
¡QUÉ TONTO ERES!

VENGA, VÁMONOS A COMER AL RESTAURANTE.
A CELEBRAR NUESTRA NUEVA VIDA.

¿LA CABALLA?
¡PARA ÉL!
¿LA SALCHICHA?
PARA ÉL.

Y ESTE PESCADO, ¡QUÉ MAL HUELE!
¡AH, APESTA!

¡VAYA HEDOR!
¡SÍ!
VENGA, ¡SALUD!
¡POR NUESTRA NUEVA VIDA!

PABLO, TIENES QUE PINTAR LO QUE LLEVAS DENTRO. ¡TU "MUERTE DE CASAGEMAS" ES SUBLIME! ¡DESCONCERTANTE!
Y ESA LLAMA EXTRAÑA EN EL CUADRO, ES UNA ESPECIE DE VULVA, ¿NO?

ES LA MUJER, MAX. ELLA DA LA VIDA, ELLA MATA, ELLA ENRIQUECE AL CHULO.
EL OTRO LADO DE LA MONEDA, ¿EH?
ESO ES LO QUE QUIERO PINTAR: LA PODRIDA VERDAD QUE YACE BAJO EL TRAJE DE FIESTA.

PABLO, CREO QUE NECESITAS DE UNA CURA DE VERDAD. ¿CONOCES LA PRISIÓN SAINT-LAZARE? ¿NO? MUY BIEN, ENTONCES VOY A PRESENTARTE A LA MUERTE EN PERSONA.

NO SE LO TOME COMO ALGO PERSONAL: AQUÍ LO LLAMAMOS TAMBIÉN EL "MAL INGLÉS", "ALEMÁN"... EN FUNCIÓN DEL ENEMIGO DEL MOMENTO, AL FIN Y AL CABO.

ESPERO QUE TENGA MUCHO ESTÓMAGO.

¡INSPECCIÓN MÉDICA!

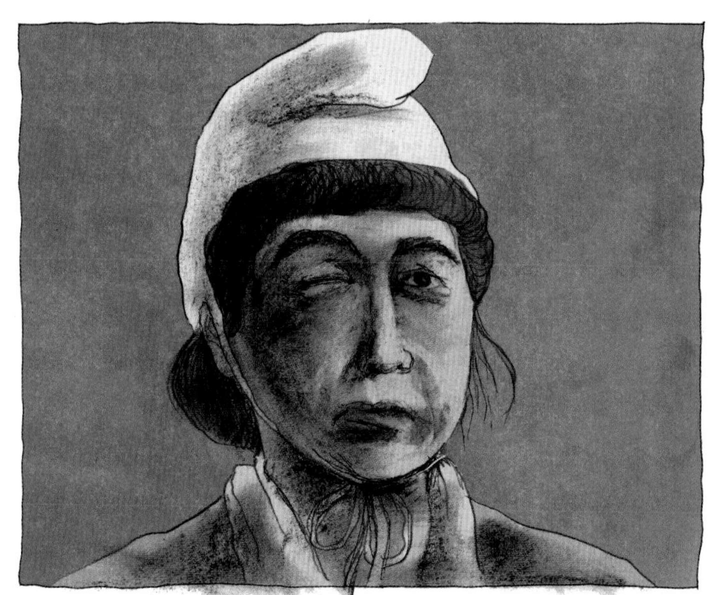

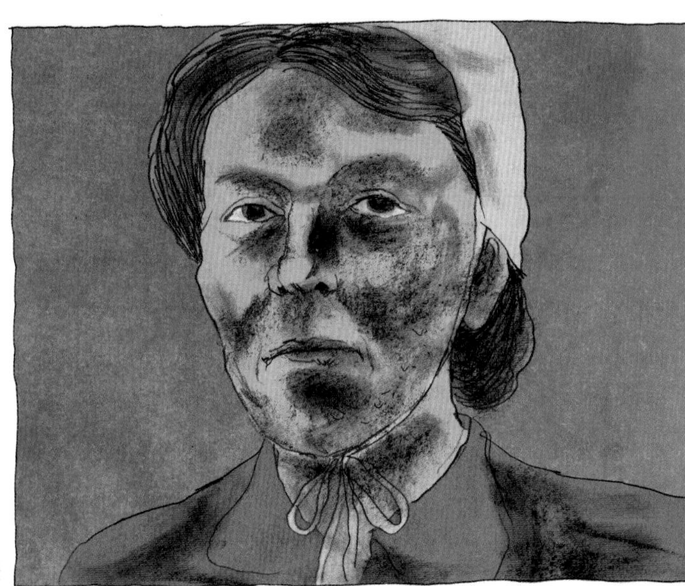

Mi nuevo trabajo de modelo marchaba a maravilla. Arrasaba entre los pintores académicos.

Henner solo pintaba pelirrojas.

Mac Ewen me disfrazaba de holandesa y me hacía pelar verduras.

Bordes, como buen retratista de lo mundano, me hacía posar con mucha parafernalia, con los vestidos de sus clientes de la alta sociedad.

El viejo Cormon, Alexis Axilette y sus cejas en "V", Carolus-Duran y su aire imbécil, Boldini el sátiro panzudo...

...Rochegrosse y su corte de pelo a lo Guillermo Tell, obsesionado por los harenes, Alfred Roll y su cabeza de búho, Dubufe el mundano...

Descubría sin parar caras nuevas, nuevos decorados, mi curiosidad era insaciable.

La aparente excentricidad de los artistas me seducía, pero eran tan previsibles...

...prisioneros de las reglas y de sus sueños de gloria social de medio pelo. No envidié a ninguno de ellos.
¿YA SE MARCHA?
POSO ESTA TARDE PARA ÉDOUARD SAINT.

En fin... Me sentía alegre, fuerte, despreocupada... Los golpes duros no me habían afectado.
NO SE OLVIDE, ¡MAÑANA A LAS DIEZ!
SIN FALTA, SEÑOR CARLIER.

Había logrado, de un día para otro, hacer con mi pasado borrón y cuenta nueva.

BOULANGER

¿TIENES NOTICIAS DE PICASSO? YA NUNCA PISA EL BARRIO.
SE DICE QUE VIVE COMPLETAMENTE RECLUIDO EN EL BULEVAR VOLTAIRE...

...Y QUE SOLO PINTA COSAS SINIESTRAS.
¿Y CÓMO SE GANA LA VIDA?
LO ESTARÁ MANTENIENDO SU JUDÍO CON CHAQUÉ.

JI JI JI, ¡EL MUNDO AL REVÉS!
¡CALLA, ESPERA! MIRA QUIÉN VIENE.

¡POR DIOS, PERO ES ÉL!
TABAC
A LA PRESSION
¡ESTÁ IRRECONOCIBLE!

COULEURS
D'ART

¡SEÑOR PABLO! HACE TIEMPO QUE NO LO VEÍAMOS POR AQUÍ.
YA NO TRABAJO EN EL BARRIO.

¿QUÉ LE PONGO? ¿LA PALETA DE SIEMPRE?
DEME ALGO DE AZUL Y GRIS.
¡AH! APUESTO QUE HACE MARINAS. FUNCIONAN MUY BIEN EN ESTOS DÍAS.

VAYA VAYA, UN ARTISTA MALDITO.
¡MIERDA, MAÑACH!
ARTICLES D'ART
¿SIEMPRE TORCIENDO EL GESTO?

AVÍSAME CUANDO HAYAS RECUPERADO LA SONRISA.
¡CABRÓN!

SI CREE QUE LO NECESITO...
OBJETS d'ART

BUENOS DÍAS, SEÑORA WEILL.

TENGO OTROS, SI QUIERE.
GRRMBL

¡NO LOS QUIERO!
NO ME INTERESA.

VOLLARD...
DESPUÉS DE TODO, EL QUE NO ARRIESGA, NO GANA.

¡JA! ¡JA!
¡JA! ¡JA!

SE HA VUELTO LOCO.
Y ENCIMA SU CAMPANARIO ESTÁ TORCIDO.

VA POR EL MAL CAMINO, PICASSO.
LERIE
OLLAR

Rechazado por el mundo de la pintura, a Pablo le parecía que Max Jacob era el único que aún se extasiaba con su trabajo.
EH, MAX, ¿VIENES A COMER A LA CANTINA?
¡YA VOY!

NO HAY LUGAR A DUDA, AMIGOS...

...SE COME MEJOR EN EL PARIS-FRANCE QUE EN EL "BAZAR DE L'HÔTEL DE VILLE".

LAS CROQUETAS, POR EJEMPLO: BUENO, CUANDO TRABAJABA EN LOS GRANDES ALMACENES DEL BHV, NO...
¡¿Y BIEN?!
!
?

¡¿ASÍ QUE TE FOLLAS A MI MUJER?!
¡¿?!

ANTES DE ESCOGER A UNA AMANTE, ¡HAY QUE MIRAR CÓMO ES EL MARIDO!

PERO BUENO... NO HE TOCADO A UNA MUJER EN MI VIDA.
PARA LOS MORETONES, PRUEBE A PONERSE FILETES.
HABRÁ QUE DARLE LA TARDE LIBRE.

¡DIANTRES!
CUANDO LE CUENTE ESTO A PABLO...
DEFENSE D'AFFICHER
LOI DU 29 JUILLET 1881

¡¿?!

ME LLAMO CÉCILE. TRABAJO EN EL DEPARTAMENTO DE ENVÍOS DE PARIS-FRANCE.
SOY LA MUJER DEL ANIMAL QUE LE HA PEGADO ESTA TARDE.
¿PUEDO PASAR?

...Y FUE CUANDO EMPEZÓ A HACERME PREGUNTAS QUE ME INVENTÉ QUE USTED ERA MI AMANTE.
MI PEQUEÑA NIÑA.

¡AH, PERO ES QUE A MÍ ME DA LO MISMO!
DE TODAS FORMAS, ¡YA HE TENIDO TRECE AMANTES!

INTERESANTE.
UN NÚMERO FUNESTO, ¿NO LE PARECE?
TIENE RAZÓN.

ESPERE...
DÉJEME MIRAR SU OJO.

¡UH, VAYA!
¡UPS!

Y así fue como Max Jacob tuvo su primera aventura femenina.

MAX NO ME VA A MANTENER TODA LA VIDA.
TIENE QUE CAMBIAR.

¡PABLO!
EH...

TE PRESENTO A LA SEÑORITA... EH...
CÉCILE.
BUENO, YO ESTABA...
PERO MAX, ¡ES FANTÁSTICO! SE TE ABRE UN NUEVO MUNDO.

ESCUCHA, ES ESTE EL MOMENTO JUSTO PARA QUE ME VAYA...
INVÉNTATE CUALQUIER COSA...
MI FAMILIA ME INVITA A MÁLAGA PARA NAVIDAD.
¿QUÉ ME DICES?

ESTÁS SEGURO DE QUE...
¡POR SUPUESTO! ¡VIVE TU VIDA!
PERO TE LO RUEGO. PROMÉTEME ALGO, ¡DEJA TU ESTÚPIDO TRABAJO Y ESCRIBE!

YA NO TENDRÁS QUE MANTENER A ESTE VIEJO PERRO ESPAÑOL.
ERES UN POETA, ¡VIVE COMO UN POETA!
¡Y QUE VIVAN LAS MUJERES, MAX!

Picasso había desaparecido de nuevo, Max Jacob, fiel a su promesa, se empeñó en convertirse en un verdadero bohemio.
¡MAXU!
¿ME PUEDES ATAR EL CORSÉ, POR FAVOR?

Dimitió, cogió una habitación abajo de Montmartre, pero su relación se fastidió rápidamente.
¿UN BESITO?

La incultura de su novia y su curiosa manía de tejer incansablemente ropa de muñecas acabaron por agobiarle muchísimo.
CÉCILE, TENEMOS QUE HABLAR.
?

Una vez despedida, guardando como único recuerdo una blusa de color carne y un retrato de ella hecho con el poso de café, volvió a sus agentes de policía.
¿ES ELLA?
ES ESPANTOSA.

Convertirse en un artista, ¿pero para hacer qué?
"Soy sodomita con pasión pero sin alegría"
¿QUIÉN ES ESE PABLO?

En mi caso, mi artista, en diciembre de 1901, era muy diferente.
¿TE DAS CUENTA? ¡CASI DOS FRANCOS POR UN POCO DE ARCILLA!
LE DIJE QUE DEBÍA ESTAR SOÑANDO, Y...

De benefactor, Laurent Debienne había pasado, naturalmente, a convertirse en mi amante.
HE LEÍDO EN "L'ILLUSTRATION" QUE LA CARNE DE CONEJO TIENE PROPIEDADES LAXANTES CONSIDERABLES, Y...

Era soso, tan soso. Bueno pero aburrido a morir.
BUENO, ¿NOS VAMOS O QUÉ?
EL POBRE HOMBRE, FUERA CON ESTE FRÍO.
¡QUÉ VISIÓN! ¡PERO QUÉ VISIÓN!

Por eso, cuando trajo a casa un vagabundo con el pretexto de esculpirlo...
¡VINO!
¡ES TAN PINTORESCO!

...aproveché la ocasión para proponer un cambio en nuestra vida de pareja.
PERO, CARIÑO, ¡NO LO PODEMOS ECHAR EN PLENO INVIERNO!
HACE UN MES QUE ESTÁ AQUÍ: ¡ES ÉL O YO!

Le cedimos, pues, a su ocupante el taller de la calle de la Gaîté para mudarnos a Montmartre.
¿MONTMARTRE? ¡PERO SI ES UN BARRIO DE VAGABUNDOS!

¿A QUÉ NOMBRE LES REGISTRO?
LAURENT DEBIENNE.
FERNANDE DE LA BAUME.

Creé mi nueva existencia inventándome una nueva identidad.
¿FERNANDE?
PERO...
¡¿... AMÉLIE?!
B-A-U-M-E.

Todas las modelos que transitaban por la extraña nave donde nos instalamos tenían nombres de guerra que impedían que su pasado las atrapara.
HOLA FERNANDE.
BUENOS DÍAS MIMI.
BUENOS DÍAS, SEÑOR DURRIO.

Antigua manufactura de pianos construida a ladera de colina, el edificio había sido convertido en talleres para artistas.
¡POR DIOS, QUÉ FRÍO DE POBRES! ¡AQUÍ LAS PAREDES ESTÁN HECHAS DE PAPEL DE FUMAR!

En aquella época, la quincena de inquilinos conocía ese lugar con el nombre de la "casa del trampero".
PARA EL AGUA, HAY QUE BAJAR LA ESCALERA CARCOMIDA HASTA EL PEQUEÑO PATIO... COGE UNA VELA.

... pero aquella nave corsaria española enganchada a la loma iba, como todos nosotros, a entrar en la historia bajo otra identidad.
HAY UNA FUENTE... ¡LÁSTIMA QUE NO HAYA NI GOTA DE LUZ! ¡JA JA JA!

¡El "Barco-Lavadero"! A primera vista, se parecía a cualquier otra casa. Una vez dentro, era un verdadero hormiguero de galerías oscuras, sobre cuatro niveles, llena de rincones misteriosos y húmedos.

Desde lo alto de la loma, uno podía quedarse horas contemplando la ciudad... Soplaba allí un aire límpido que ensanchaba el pecho.

Entre los vecinos del "Barco-Lavadero", uno de los más singulares vivía en el número 7 de la calle Ravignan.
LE HE TEJIDO UNOS CALCETINES.
BUENOS DÍAS, SEÑORA SUZON.
PUEDE PASAR CUANDO QUIERA A RECOGERLOS

Ojito derecho de las amas de casa del barrio, ese hombre elegante de extraña cortesía era astrólogo.
BUENOS DÍAS HERMANA.
¡SATANÁS!

Todo Montmartre pasaba por su local sin ventanas que apestaba a tabaco, gasolina y éter.
VEO... UN GUAPO DESCONOCIDO DE PIEL OSCURA...

Y de esa manera fue como conocí a Max Jacob.
¡"LA BELLE FERNANDE"! ¿A QUÉ DEBO EL PLACER DE SU VISITA?

Era él el que había inventado el nombre de "Barco-Lavadero".
QUISIERA SABER SI VOY A ESTAR CON MI NOVIO PARA SIEMPRE.
¿EL ESCULTOR DEBIENNE?
HMM.

Los meses pasaban, pero el cambio de aires no había mejorado mi relación con Laurent.
DÉJEME CONVOCAR A LOS ESPÍRITUS DE LA CÁBALA Y DEL ZOHAR...

En lugar de trabajar, se pasaba el día fijando estanterías o arreglando un cajón.
"LA BUENA HERRAMIENTA HACE AL BUEN OBRERO."
Nos ganábamos los garbanzos con mis horas como modelo.

Pero una mañana que volví más temprano de lo habitual...
¡HOLA FERNANDE!
¿TE INVITAMOS A UN COÑAC?
¡LOS ESPAÑOLES COMO SIEMPRE VAGUEANDO!

... me encontré a Laurent trabajando sexualmente con su modelo, una cría llena de piojos.

¡Eso sí que era nuevo!
¡FUERA!
DEME PRIMERO MI DINERO.

¿CINCO FRANCOS?
LO NORMAL SON DIEZ.
Era lo que ganaba trabajando diez horas como modelo.

Le dejé claro a Laurent, con todo el desprecio del que fui capaz, que pagaría él a sus modelos vendiendo sus hipotéticas "obras" y a partir de aquel día, dormí en el sofá de detrás del biombo.
¡NO ENTIENDES NADA SOBRE EL ARTE!

Pasaron dos años...
PASE A TOMAR UN BOL DE SOPA, MAX.
¡HOLA, OH BELLE FERNANDE!
PARECE MUY ALEGRE, MAX.
...y ya pertenecíamos a la comunidad de Montmartre.

¡CÓMO NO! LES TRAIGO UN NUEVO VECINO.
EL TALLER DE PACO DURRIO SE LIBERA EN EL BARCO-LAVADERO.

ASÍ QUE ESCRIBÍ A MI GRAN AMIGO DE BARCELONA: ¡POR FIN HA DECIDIDO REGRESAR!
¡PABLO PICASSO!

¡UN ARTISTA INMENSO VOLVERÁ A SU QUERIDO PARÍS!
¿OTRO EXTRANJERO? ESTO YA NO ES MONTMARTRE, ES EL PEÑÓN DE GIBRALTAR.

SE RÍE USTED DE MÍ, FERNANDE. PERO NADA PODRÁ FASTIDIAR ESTE BONITO DÍA DE PRIMAVERA.

¡Eso, hablemos de la primavera! A pesar de todos mis amantes, que ponían a Debienne ferozmente celoso, estaba insatisfecha.
¿PREFIERES HACER EL AMOR O QUE VAYAMOS A VER LOS CUADROS DE CÉZANNE EN EL LUXEMBOURG?

Rodolphe Salis, Othon Friesz, Raoul Dufy... ¡Cuánta energía desperdiciada!
EH...
CÉZANNE EN EL LUXEMBOURG.

Fue así que vimos a Picasso desembarcar.
¡PASO!

CUIDADO QUE MANCHO, JI JI.

¿QUÉ, TE GUSTA?
MAX, ¿QUIÉN ERA ESA CHICA SUBLIME DEL PASILLO?

ES FERNANDE, UNA MODELO DE POR AQUÍ.
PERO BUENO, EL TALLER, ¿TE GUSTA?
¡QUÉ ACTITUD! ¡QUÉ MIRADA! ¿ESTÁ CASADA?

Desde el primer segundo, ese español, de extraño aspecto, solo tuvo ojos para mí.

Era imposible saber de qué entorno provenía, pequeño, achaparrado, se propuso hacerme la corte.
¿?
LE HE COMPRADO UN JAMÓN Y UNA LITOGRAFÍA.

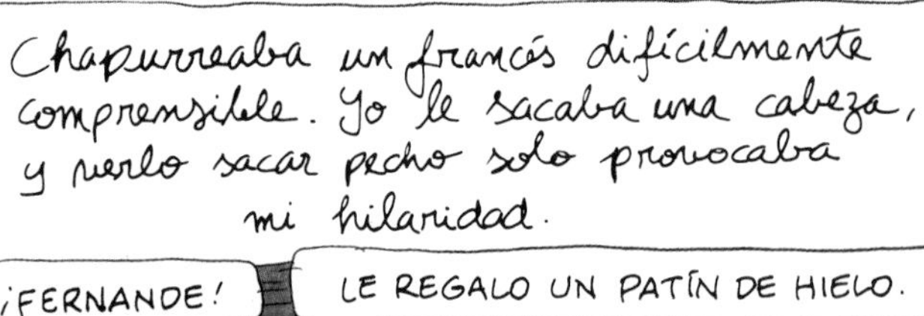
Chapurreaba un francés difícilmente comprensible. Yo le sacaba una cabeza, y verlo sacar pecho solo provocaba mi hilaridad.

¡FERNANDE!
LE REGALO UN PATÍN DE HIELO.
ESTOY OCUPADA, PABLO.

Por un dinerillo extra, Max Jacob fabricaba talismanes a sus clientes...
YEO...
...UNA PASIÓN ARDIENTE...
SI ES SU AMIGO EL PINTOR, NI SOÑARLO, MAX.

...ligeros para los que le caían bien, de granito para los que no. El mío era entre los dos: una placa de cobre que iba a llevar toda la vida.
¡QUÉ ENCANTO!
SÍ BUENO, TAMPOCO EXAGERES.

La única vez que mi indiferencia pareció vacilar fue durante un encuentro fortuito en la oscuridad donde se ocultaba la fuente.

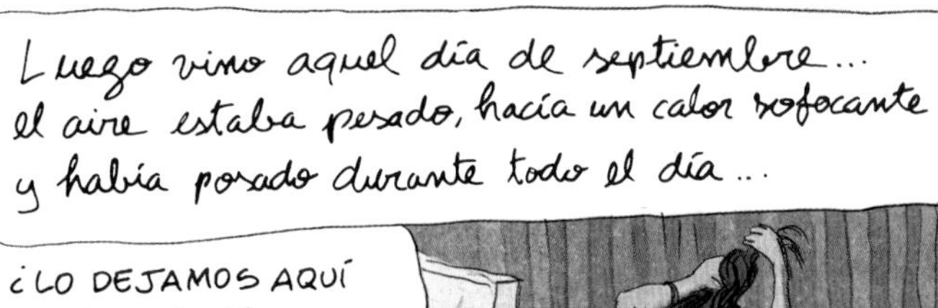
Luego vino aquel día de septiembre... el aire estaba pesado, hacía un calor sofocante y había posado durante todo el día...

¿LO DEJAMOS AQUÍ POR HOY?

Por la noche, volviendo al Barco-Lavadero...

...las nubes por fin estallaron.

¡MÁS RÁPIDO!

Pablo estaba en la entrada...
ESTÁS CALADA, ¿VERDAD?
Me cortaba el paso, apretando algo en su pecho.

¡TOMA!
Miau.

Sus ojos quemaban y se burlaban al mismo tiempo. Vi su boca larga, tan bien dibujada...
VEN A MI TALLER.

En su puerta, sus amigos concertaban citas con mensajes de tiza.
¡ESPERA!
MANOLO ESTÁ EN CASA DE AZNAN
CASALS TE ESPERA EN CASA DE FREDE
Estoy en el bar Picasso

YA ESTÁ.
Cita de Poetas

¡OH!

Me acuerdo aún del olor: una mezcla de perro mojado, de gasolina, de polvo y de tabaco... Olor a trabajo.
Tan diferente de Laurent, que disertaba durante horas sobre sus obras conformándose con volver a poner trapos sobre unos bocetos que nunca acabaría.

Continuará...

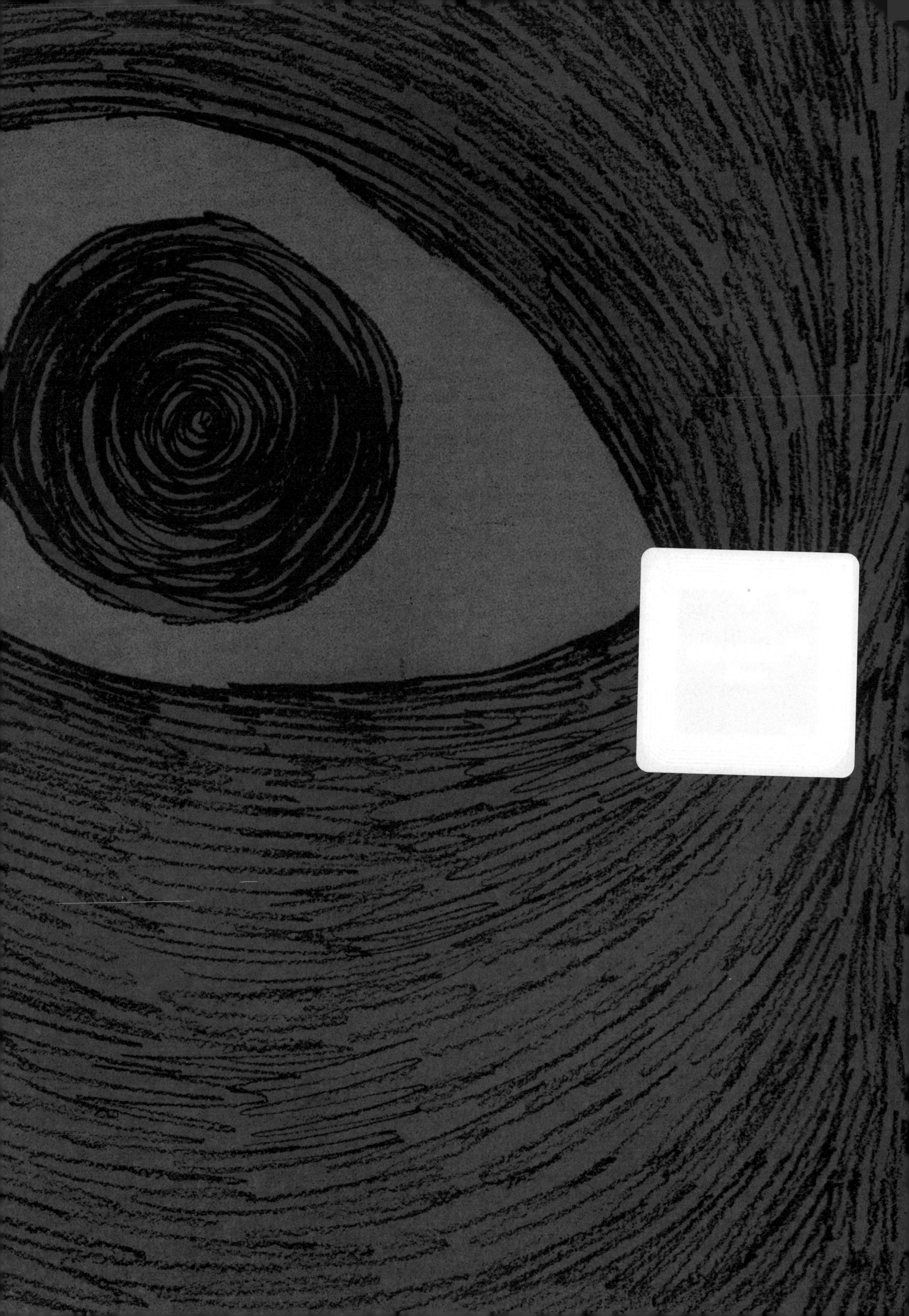